写在前面

我和蔡皋相识于上世纪80年代，那是一个既困惑又充满期望的年代。她很热情，诚恳，是个很有魅力的人。她的作品造型大胆、夸张，吸取了民间艺术中的精华。色彩变化丰富，各种灰调子组成一体，非常美，使我们眼睛一亮。

她的作品既民族又现代。在创作甜媚之风颇为流行的当下，她的作品仿佛吹来一阵清新的风。

她创作了不少非常优秀的作品，并且在国际上屡获大奖。我衷心祝愿她永葆青春，并在创作上不断创新，取得新的成就。

俞理（著名绘本画家，著名编辑）

田螺姑娘

原著／【东晋】陶 潜　绘画／蔡 皋

湖南少年儿童出版社
HUNAN JUVENILE & CHILDREN'S PUBLISHING HOUSE

东晋时候有个青年，名叫谢瑞。他从小就没有了父母，一个人孤零零地过日子。

谢瑞家里很穷，没有人愿意把女儿嫁给他。可他勤劳肯干，每天都去田里干活。

有一天，他在河岸边捡到一个田螺。这田螺雪白的外壳，有一个巴掌那么大。

谢瑞很喜欢这个田螺，他小心翼翼地把田螺带回家，放到水缸里养着。

第二天，谢瑞跟往常一样，早早地到田里去干活了。

等到中午回来，他一推开门，居然闻到一股香味：桌上摆着几盘香喷喷热乎乎的饭菜！

就这样过了好几天，谢瑞每天都能吃上香喷喷热乎乎的饭菜。

他越来越觉得奇怪，就跑去问邻居老婆婆：“老婆婆，是您每天为我做的饭菜吗？”

老婆婆笑了：“你这小子，有个好看又勤劳的姑娘，天天为你做饭烧菜呢，怎么会是我呀！”

“啊，一位姑娘？”谢瑞更好奇了，他想了想，决心要弄清楚是怎么回事。

第二天一大早，谢瑞又像往常一样出门去干活。

可这一次，还没到中午，他就撒腿往家里赶，还在路上就远远看到家里的烟囱在冒烟了！

谢瑞悄悄躲在窗户外面，偷偷地往厨房里头看。

天哪，有个穿白裙子的姑娘，正在里面忙活着呢。

“她是谁呀？我可从来没有见过她！她不会是田螺变出来的吧？”

谢瑞决定进屋里去问个明白。

他蹑手蹑脚进了屋里，先用木板把水缸封住。

然后，他走到姑娘身后问道：“姑娘，请问你是谁？为什么会在我家，为我做饭烧菜呢？”

姑娘吓了一大跳，转身想要钻回水缸里，却发现水缸被木板封住了，进不去。

姑娘只得低头解释说："我是田螺神女，不小心被冲到了河岸上，幸亏你救了我，把我养在水缸里。我为你做饭烧菜就是想要报答你！"

现在谢瑞知道了田螺神女的身份，她就不能再留下来了，得回到河里去。

临走之前，田螺神女把田螺送给了谢瑞。那个田螺会变出各种食物，这样他就不用担心挨饿了。

随后，一阵白烟冒出，田螺神女不见了。

有了那个神奇的田螺，慢慢地，勤劳善良的谢瑞不再是穷小子了。后来，他娶了妻子，一家人过上了快乐的日子。

小蛋壳童书馆

每一个孩子都是破壳而出的新希望。

小蛋壳童书馆本着全心全意成就孩子心灵成长的主旨，
为处在性格形成关键期的孩子提供精品童书。

图书在版编目（CIP）数据

田螺姑娘 /（东晋）陶潜原著；蔡皋绘画.—长沙：
湖南少年儿童出版社，2016.6
（蔡皋的绘本世界）
ISBN 978-7-5562-2441-8

Ⅰ. ①田… Ⅱ. ①陶… ②蔡… Ⅲ. ①儿童文学－图
画故事－中国－当代 Ⅳ. ①I287.8

中国版本图书馆CIP数据核字(2016)第112934号

田螺姑娘

TIANLUO GUNIANG

总 策 划：丁双平　胡　坚　李　芳
策划编辑：谭菁菁
责任编辑：谭菁菁　石　林
艺术指导：萧睿子
美术编辑：王雨铭

出 版 人：胡　坚
质量总监：郑　瑾
出版发行：湖南少年儿童出版社
印　　刷：湖南天闻新华印务有限公司
开　　本：787×1092　1/24
印　　张：1.25
版　　次：2016 年 6 月第 1 版
印　　次：2016 年 6 月第 1 次印刷
定　　价：28.00 元

蔡　皋

第14届布拉迪斯拉发国际儿童图书展（BIB）“金苹果”奖获得者。

第34届博洛尼亚国际儿童图画书插图展评选委员。

绘本作品代表作：《荒原狐精》《晒龙袍的六月六》《桃花源的故事》《花木兰》《中国美丽故事》《海的女儿》。